# 세레머니

굴 ——— 꽃

저자  추은영

일상생활 속에서 마주치는 물건, 자연, 사람, 감정 등을 통해 자유롭게
써 내려간 작디작은 동시집입니다. 이 동시집을 통해 어린이들도 순수
한 마음과 호기심으로 친구와 가족과 함께 소통할 수 있는 용기가 생
기길 바랍니다. 어린이들이 더 많은 꿈을 꾸고, 자신의 잠재력을 발견
할 수 있기를 바랍니다.

추은영

# 귤 ── 꽃 세레머니

# 책 / 소 / 개

어린이를 위한 아름다운 동시들을 모아놓은 책입니다. 이 동시들은 어린이를 대상으로 쓰여 있으며, 그들의 상상력과 창의력을 자극합니다. 자연, 동물, 일상생활 등 다양한 주제를 다루며, 어린이들이 공감하고 즐길 수 있는 내용으로 구성되어 있습니다. 동시들을 읽으면서 어린이들은 언어의 아름다움과 창의성을 경험하며, 자신의 감정을 표현하고 상상력을 키우는 데 도움을 받을 수 있기를 바랍니다.

# 1장
# 숟가락에 깡총

# 2장
# 오 분만 더

# 3장
# 귤꽃 세레머니

# 3장
# 귤꽃 세레머니

1장.

---

숟가락에
깡총

# 빵또아와
# 요맘때

아이스크림 할인점에 들렀다

빵또아와 요맘때 중

고민하고 있던 그때


빵또아가 말한다

난 아이스크림도 들었어

난 빵도 있어


나는 망설임없이

요맘때를 집어 들었다


빵또아가 말한다

요맘때라는 녀석이

그렇게 맛있어?

# 부침개

톡
   톡
톡
   톡
떨어지는
빗소리

치
   익
치
   익
프라이팬
부침개 소리

유난히
짙고 고소한
김치 부침개

# 탕후루

딸기, 귤, 샤인머스캣, 파인애플, 키위

과일들로 만드는

아삭아삭 탕후루

영양 만점 탕후루


왜 영양 만점이냐고?

비타민이 풍부한

과일이기 때문이지!

# 그리운
# 참외

한여름의

달콤한 맛과 향기로

가득 찬 노란 참외


옹기종기 둘러앉아

이야기꽃을 피우며

함께 나눠 먹던 참외


지금은 마주할 수 없지만

내 마음 한 곳에

가득 찬 그 시절의

노란 참외

# 떡볶이

보글보글

끓어오르는

빨간 국물에


쫀득쫀득

기다란

하얀 떡을 넣고


모락모락

맛있는

냄새가 피어오르면


오늘은

내가

떡볶이 요리사

# 예의 바른
## 토마토

접시에

가지런히 줄 선

토마토


동굴로

들어갈 때는

예의 바르게


초록 모자를

벗어 두지요

# 붕어빵

호호

불어먹는

맛있는 붕어빵


슈크림, 단팥

무엇을 먹을까?


둘 다 맛있어서

못 고르겠네


호호

불어먹는

맛있는 붕어빵


겨울엔 역시

붕어빵

# 마라탕

1
장

숟
가
락
에

깡
총

쫄깃쫄깃 중국 당면
후루룩 국물이 튀었다


오독오독 팽이버섯
냠냠 이빨에 끼었다


쭈글쭈글 푸주
부들부들 부드럽다


바삭바삭 꿔바로우
앗, 뜨거!


그래도
너무 맛있다

# 간식
# 창고

맛있는 간식


바삭바삭 감자칩

질겅질겅 카라멜

호로록 라면

츄릅 아이스크림


정이 담긴

초코파이까지


맛있는 간식

나만의

간식 창고

# 숟가락에
# 깡총

맛있는 간식들이

깡충깡충

내 숟가락으로 온다


1등은 바로 크루아상


내 숟가락 위로

깡총!


내 입속으로

깡총!

2장.

5 분만 더

# 급식실
# 선생님

점심시간 급식실


"잘 먹겠습니다"
내가 인사를 한다.


"그래, 많이 먹어라"
선생님이 말한다.


4학년이 되어도
선생님 말씀이
이해가 안 간다.


조금만 주는데
어떻게 많이 먹으라는 거지?

# 유행은
# 변덕쟁이

유행은

내가 보기에만

예쁜 것도

예뻐 보이게 만들고


유행은

내가 가지고 있으면

괜히 마음이

으쓱해진다


하지만

유행은 변덕쟁이다


매일매일

새로운 유행이

나타나기 때문이다

# 감귤
# 기차

칙칙폭폭

상큼한 향기를 풍기며

감귤 기차가 달려와요


주황색과 초록색의

달콤한 기차를 탄 사람들은

즐거운 여행을 떠나요.


상큼하고 달콤한 향기에

모두가 행복해지고

즐거운 추억을 만들어요


감귤 기차는

모든 사람에게

행복과 즐거움을 주는

사랑스러운 기차예요

# 숫자는
## 수면제

점심시간 후 4교시

배부르고 나른해서

꾸벅꾸벅


칠판 가득 숫자 보니

무슨 말인지 어려워

꾸벅꾸벅


숫자만 없어도 졸지 않을 텐데

# 바보 같은
## 질문

세상에서 제일

꺼벙이 같고

맹꽁이 같고

못난이 같은


바보 같은 질문

"아빠가 좋아? 엄마가 좋아?"

# 거짓말쟁이

햇살 좋은 어느 날


길을 걷다
문득 바라본 바닥에 있는
또 다른 나


내 몸이
이렇게
날씬하다고?


내 다리가
이렇게
길쭉하다고?


사실을 말해
거짓말하지 말고!

# 빙판길

끼이익 쾅!


사고를 불러 모으는

넌!


레

드

카

드

야

# 연보라
# 줄넘기

2
장

오

분
만

더

연보라 줄넘기

탁탁탁

땅아 길 비켜

줄넘기 나가잖아


연보라 줄넘기

헉헉

내 숨 살려라


연보라 줄넘기

뻘뻘

땀으로 흠뻑 젖었네


연보라 줄넘기

탁탁탁

줄넘기가 나가신다

# 투명한
# 알맹이

띠링-

와다다닥

우다다닥

타다다닥

토도도독

뚜두두둑


우리 집

얼음 정수기에서

얼음 쏟아지는 소리

# 오 분만 더

2
장

오

분
만

더

졸린 눈을 비비며

포근한 이불 속에서

꿈틀꿈틀


오 분만 더!

# 거미줄

물방울이

톡

하고 떨어졌다


가느다란

줄

위에 떨어졌다


가는 줄이

뚝

하고 끊어졌다


덕분에

잡혀있던 나비가

훨훨 날아갔다

3장.

———

귤꽃
세레머니 *

# 구름같은 구름이

1

몽글몽글 귀여운 모습으로

내 앞에 나타나

작은 눈망울을 반짝이며

애틋하게 나를 바라보는

작고 소중한

구름 같은 나의 고양이

귀여운 너를 보고 있으면

내 마음도 몽글몽글해져

너와 함께하는 시간은

정말 구름 위를 걷는 기분이야

# 구름같은 구름이

## 2

몽글몽글 귀여운 모습으로

올려다보는

구름 같은 구름이


뭉게뭉게 피어난 모습으로

내려다보는

구름이 같은 구름


구름과 구름이

마주 보며

방긋 웃는다

# 별빛이
# 내리는 밤

밤하늘에 반짝이는 별빛이

춤을 추듯 하늘을 수놓으면

눈부신 아름다움에 눈을 뗄 수 없어요


별들이 노래하며 별빛을 퍼뜨려

마음을 따뜻하게 감싸 안아 줘요


별빛이 내리는 밤은

마음을 더욱 아름답게 만들어줘요


밤하늘에 반짝이는 별빛이

보석처럼 아름답게 빛나요

# 봄날

살랑이는 봄바람에

흩날리는 벚꽃잎이

송이송이 둘러앉아

어서오라 손짓하네

# 보름달

3
장

귤
꽃
세
레
머
니

둥실둥실

보름달

지구를 비추네


둥실둥실

보름달

밤하늘을 비추네


둥실둥실

보름달

바다를 비추네


둥실둥실

보름달

내 얼굴을 비추네

# 수국수국

3
장

귤
꽃

세
레
머
니

파란색, 보라색, 분홍색으로
예쁜 꽃이 피어나요


뜨거운 햇살에도
쑤욱쑤욱 씩씩하게
예쁜 꽃이 자라나요.


바람이 불면
살랑살랑 흔들리며
예쁜 꽃이 춤을 춰요


여름 향기를
가득 담은 예쁜 꽃은
여름을 좋아하는
나에게 아주 특별한 꽃이에요

# 별

밤하늘에 빛나는 별 하나

나에게로 살며시 내려와

말을 걸어와


"너는 참 아름다운 사람이야"


그 별을 보고 있으면

내 마음도 따뜻해지고

마치 나를 지켜주는 것 같아


언제나 내 곁에서 빛나는

아름다운 나의 별


밤하늘에 빛나는 별 하나

너로 인해 나는 희망을 품고

내일을 향해 달려갈 수 있어

# 그해 여름은

쨍쨍 –


내리쬐던

그해 여름은


철썩 –


바위틈에 부딪혀

산산히 부서지던

여리고도 여린

내 마음과도 닮았다


모진 파도와

쨍한 햇볕을

견뎌낸 바다처럼


나도 단단해져 보련다

# 붉은 노을

석양이 지는

잔잔한 물결 위로

눈 부신 햇살이 비추네.


붉은빛으로

물들어 가는 하늘에

바다도 붉게 물들어 가네.


살랑살랑 불어오는 바람에

물결도 출렁출렁 춤을 추네.


석양이 지는

잔잔한 물결이

눈부시도록 빛나네.

# 귤꽃
## 세레머니

바닐라처럼 달콤한 향기로

우리 곁에 찾아와

따스한 봄을 알리는

작고 소중한 귤꽃


팝콘처럼 팡팡 터지면서

우리 곁에 놀러 와

오래도록 향기를 남기는

작고 소중한 귤꽃


짧은 시간 피어나지만

향기는 오래도록 남아

마음을 행복하게 해주네.


마을 곳곳에서

짧은 축제를 즐기고

다음을 기약하네.

# 야자수 나무
# 아래에서

눈부시도록 빛나던 바다

따스히 불어오던 바람

뜨거운 태양을 가려주던

야자수 나무 아래에서


우리의 웃음과 행복이 가득했던

우리의 추억과 사랑이 가득했던

야자수 나무 아래에서


지금은 곁에 없지만

여전히 나를 지켜주는

야자수 나무 아래에서


행복했던

그 시절을 회상하며

너를 그리워해 본다

# 바스락
## 바스락

울긋불긋

낙엽길을 걷다가

귀를 기울이면


바스락

바스락


아이 손에

쥐여준 과자봉지에

귀를 기울이면


바스락

바스락


새하얗게

타고 남은 내 마음에

귀를 기울이면


바스락

바스락

**귤 ─ 꽃 세레머니** 일상에서 마주치는 작디 작은 동시

**발 행** | 2024년 07월 31일
**저 자** | 추은영
**표지일러스트** | 오은정
**디자인** | 오은정
**인권표현검수** | 이지민
**바른우리말검수** | 이지민
**후원** | 제주특별자치도, 제주문화예술재단
**주관** | 서귀포 오아시스
**미디어에디터** | 최인서
**작품편집, 에이전트** | 박산솔, 이정숙, 이선경
**펴낸이** | 한건희
**펴낸곳** | 주식회사 부크크
**출판사등록** | 2014.07.15.(제2014-16호)
**주 소** | 서울 금천구 가산디지털1로 119, SK트윈타워 A동 305호
**전 화** | 1670 ─ 8316
**이메일** | info@bookk.co.kr

ISBN | 979-11-410-9864-3

www.bookk.co.kr

2024 엄마의 활주로 '함께육아에세이'의 취지에 맞게 작가의 감정 표현과
아이의 언어 표현을 지키는 방향으로 교정 교열 하였습니다.

본 책은 강원교육모두체, 학교안심(확장)바른돋움체가 사용되었습니다.

본 책은 제주특별자치도와 제주문화예술재단의 후원을 받아 제작되었습니다.

Jeju    JFAC 제주문화예술재단

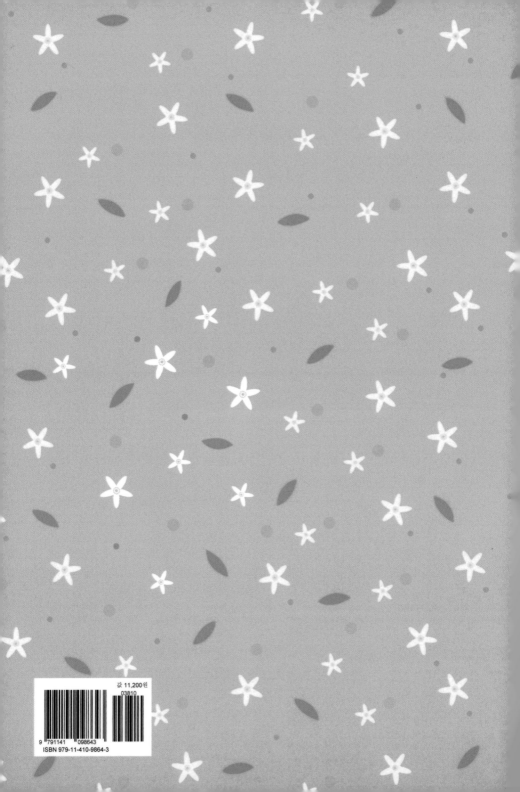

값 11,200원
03810

9 791141 098643
ISBN 979-11-410-9864-3